深见春夫"想得美"图画书系列

会走路的丸子小弟

•HUI ZOULU DE WANZI XIAODI•

[日]深见春夫 著/绘

彭 懿 译

电子工业出版社

Publishing House of Electronics Industry

北京·BEIJING

ARUKU ODANGO-KUN

Copyright © Haruo Fukami 2005

All rights reserved.

Original Japanese edition published by PHP Institute, Inc.

This Simplified Chinese edition published by arrangement with PHP Institute, Inc., Tokyo in care of Tuttle-Mori Agency, Inc., Tokyo through GW Culture Communications Co., Ltd., Beijing

版权贸易合同登记号　图字：01-2015-1429

图书在版编目（CIP）数据

会走路的丸子小弟 /（日）深见春夫著绘；彭懿译 . —北京：电子工业出版社，2015.10
ISBN 978-7-121-26894-6

Ⅰ.①会… Ⅱ.①深… ②彭… Ⅲ.①儿童文学—图画故事—日本—现代 Ⅳ.① I313.85

中国版本图书馆 CIP 数据核字（2015）第 183770 号

出版统筹：李朝晖　　责任编辑：翟　琳
版权联络：孙利冰　　文字编辑：任婷婷
责任校对：杜　皎　　营销编辑：王　丹
印　　刷：北京尚唐印刷包装有限公司
装　　订：北京尚唐印刷包装有限公司
出版发行：电子工业出版社
　　　　　北京市海淀区万寿路 173 信箱　邮编：100036
开　　本：787×1092　1/12　印张：3　字数：30 千字
版　　次：2015 年 10 月第 1 版
印　　次：2020 年 4 月第 23 次印刷
定　　价：19.80 元

凡所购买电子工业出版社图书有缺损问题，请向购买书店调换。若书店售缺，请与本社发行部联系，联系及邮购电话：（010）88254888。

质量投诉请发邮件至 zlts@phei.com.cn，盗版侵权举报请发邮件至 dbqq@phei.com.cn。

服务热线：（010）88258888。

会走路的丸子小弟

[日] 深见春夫　著/绘
彭　懿　译

碟子里，还剩下一串丸子。

其中的一个丸子开口说："我们马上就要被吃掉了。趁着还没被吃掉，我们出去玩吧！"

"好啊。""好啊。"

"咦，丸子小弟，你们去哪里？"

"去玩一会儿。"

"路上可要小心啊！"

"外边的世界真快乐啊！"
"真快乐啊！"

"这里好像很好玩，就玩一会儿吧。"
"好啊。"

"啊，丸子！丸子爬上来了！"
公园里的孩子们吃了一惊。

丸子小弟从滑梯上叽里咕噜地滚了下来。

"呀——太好玩啦！"

丸子小弟叫了起来。

"我们把你们送到上面去吧！"
"谢谢！"

丸子小弟在滑梯上滚了一遍又一遍。
"太好玩了！""太好玩了！"

接着，他们又和孩子们在攀登架上玩起了捉迷藏。

丸子小弟嗖地一下，跳到了下边孩子的头上。

"抓到你了！"

"丸子小弟好会玩捉迷藏啊！厉害，厉害！"

然后，丸子小弟钻进了公园的隧道里。
孩子们也追了上去。

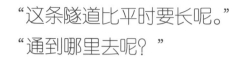

"这条隧道比平时要长呢。"
"通到哪里去呢？"

钻出隧道……
"咦？"
"我们变小了！"

这里聚集着好多丸子小弟的伙伴。

大家玩起了捉迷藏。

接着，大家玩起了电车游戏。
"嘭嚓嘭嚓——嘭嚓嘭嚓——"

开过大桥。
"嘭嚓嘭嚓——嘭嚓嘭嚓——"

前头有一只大福妖怪正在呼呼大睡。

"大福妖怪总是捉弄我们……" 丸子们说。
大家怕惊醒他，悄悄地走了过去。

嘘！

可是，有一只手嗖地从后面伸了过来。

大家全被抓住了。

"哇哈哈哈哈，你们想偷偷地溜过去啊，没门儿！怎么收拾你们呢……有了！"

"就拿你们当小布袋抛吧！"
"啊，住手——"
"住手——"

大家被抛得越来越高。
"住手——""救命——"
"好，就用那一招吧！"丸子们说。

丸子们把竹签的尖对准大福妖怪的脑袋，扎了下去。
"疼疼疼！对不起！对不起！我再也不敢了。"

大福妖怪变成一串丸子，让大家坐了上来。

"嘭嚓嘭嚓——嘭嚓嘭嚓——"

"我们要回公园了，大家再见！"
"再见。再来玩啊！"

一回到公园，孩子们就又变回了原来的大小。
"太好玩啦！"
"丸子小弟，谢谢你们。"

丸子小弟再次上路了。
"路上小心啊！再见。"
"再见。"